C'est dur
d'être un vampire

D1643363

Pascale Wrzecz est née à Douai en 1961. Après des études aux Beaux-Arts de Lille, elle travaille d'abord comme illustratrice. Aujourd'hui, elle écrit des histoires et s'occupe de Susie Lou, sa fille. Quand elle n'écrit pas, elle anime un atelier de bandes dessinées pour enfants.

Boiry est née en 1948 à Toulon. Elle habite aujourd'hui à Boiry avec son mari pédiatre, leurs trois enfants et une chatte, et consacre son temps à l'illustration de livres pour enfants.

Du même illustrateur dans Bayard Poche :
Mystère dans l'escalier (Mes premiers J'aime lire)
C'est la vie, Julie ! - *Gaby, mon copain* - *Une nuit au grand magasin* - *Les yeux de Salska* - *En route, petit frère !* - *Drôle de rencontre en Poisonie* - *Les treize chats de la sorcière* (J'aime lire)

Treizième édition

© 2003, Bayard Éditions Jeunesse
© 1994, Bayard Éditions.
Tous les droits réservés. Reproduction, même partielle, interdite.
Dépôt légal : mars 2003
Loi du 16 juillet 1949 sur les publications destinées à la jeunesse.

C'est dur
d'être un vampire

Une histoire écrite par Pascale Wrzecz
illustrée par Boiry

J'AIME LIRE
BAYARD POCHE

1
Un petit déjeuner à minuit

Lou est maintenant un garçon comme les autres, mais il n'y a pas très longtemps, son père, sa mère et lui formaient une... famille de vampires ! Les vampires sont très bizarres ! Ils vivent la nuit et dorment le jour... Pauvre Lou ! Il était toujours tout seul.

Il avait pourtant très envie de rencontrer d'autres enfants. Un soir, il en a parlé à ses parents :

– J'en ai assez d'être toujours tout seul ! J'ai envie de jouer, de chahuter, de rigoler !

Monsieur Dragoulu a répondu :

– Arrête de dire des bêtises, Lou. Et viens prendre ton petit déjeuner avec nous, il est presque minuit.

Lou a insisté :

– Je voudrais aller à l'école pour avoir des copains.

Sa mère s'est exclamée :

– Tu deviens fou ! Nos enfants ne vont pas à l'école. On n'a jamais vu ça ! Les vampires et les hommes ne peuvent pas être amis !

La nuit était tombée depuis longtemps. Lou s'est mis à table et madame Dragoulu lui a versé un grand bol de sang caillé. Lou a fait la grimace :

– Beurk ! J'ai horreur du sang !

Madame Dragoulu a dit :

– Tu n'aimes rien, Lou ! Quand tu étais bébé, tu vomissais tes biberons. J'ai pourtant tout essayé : la bave d'escargot aux lentilles, le pipi de chauve-souris grenadine… Et maintenant tu ne veux plus que des yeux de crapauds grillés ! Mais aujourd'hui, il n'y en a pas.

Une nuit, en effet, madame Dragoulu avait rapporté à la maison un paquet de cornflakes en croyant que c'étaient des yeux de crapauds grillés. Lou les avait dévorés avec un appétit d'ogre.

À minuit, Lou n'avait toujours rien mangé. Monsieur Dragoulu commençait à s'énerver

– Un vampire doit boire du sang s'il veut avoir l'air terrifiant !

Tout en parlant, il montrait ses dents pointues. Mais Lou n'avait pas du tout envie de faire
peur aux gens. D'ailleurs, chaque jour, il limait
en cachette ses deux dents pointues. Il s'est mis
à bougonner :

– Ce n'est pas marrant d'être tout blanc et tout
maigre. Je voudrais avoir des joues rouges, et
plein de muscles partout !

Monsieur Dragoulu a englouti son sang caillé
en trois gorgées et il a dit :

– Dépêche-toi de boire, Lou. Il est temps d'aller
faire des courses.

– Je n'y vais pas ! J'en ai assez d'être toute la nuit dehors pendant que les gens dorment. Et puis je ne veux plus mettre ma grande cape noire. Elle est moche !

Finalement, les parents ont laissé Lou tout seul dans leur grande maison. Elle était un peu pourrie, cette maison : des tuiles tombaient du toit, les portes grinçaient et il y avait de la poussière et des toiles d'araignée partout.

Lou s'est dépêché de monter dans sa chambre pour jouer avec ses deux chauves-souris, Frou-Frou et Zig-Zag, ses seules amies. Mais il s'ennuyait tellement qu'il s'est endormi. Dormir en pleine nuit : c'était la première fois que ça lui arrivait.

2
Un spectacle éblouissant

Quand Lou s'est réveillé, il faisait grand jour. Il savait qu'il était en danger de mort : la lumière du jour est la pire ennemie des vampires ! Elle peut les désagréger* en moins de trois secondes !

* Cela veut dire changer en poussière.

Il a essayé de se rendormir en fermant les yeux très fort. Impossible ! Il n'avait plus du tout sommeil...

Après beaucoup d'hésitations, il est sorti de son lit et il s'est approché de la fenêtre. Il s'est dit, en tremblant comme une feuille : « Pourvu que je ne sois pas transformé en poussière verdâtre ou, pire encore, en crotte de nez ! »

Lou a soulevé le rideau, et... rien ne s'est passé ! Il regardait ses mains, il touchait ses habits, il tâtait ses cheveux, mais non, décidément, rien n'avait changé.

Dehors, un spectacle éblouissant l'attendait :
une boule de feu illuminait le jardin. Elle était
mille fois plus puissante que la lune et les réver-
bères ! Le petit vampire n'avait jamais vu ça.
D'habitude, la grisaille de la nuit recouvrait tout.

Lou a descendu l'escalier du jardin sur la
pointe des pieds. Son cœur battait comme un
tambour. Il savait qu'il faisait une bêtise.

Quand il s'est approché de la grille, il a entendu des voix qui venaient de la rue. Il a ouvert la porte du jardin. Sur la place en face de la maison trois enfants couraient et sautaient en riant. Lou n'avait jamais entendu personne rire si fort. Les enfants portaient des chemises de toutes les couleurs. Lou les aurait bien échangées contre sa vilaine cape noire.

Lou s'est retourné. Un petit garçon était à côté
de lui. C'était la première fois qu'il en voyait un
de si près !

Le garçon a demandé :

– Salut ! Depuis quand tu habites là ? Je croyais qu'elle était abandonnée, cette baraque !

Lou a bredouillé :

– Euh... J'habite ici depuis pas longtemps.

Le garçon a dit avec un petit sourire :

– J'espère que ton père sait bricoler ! Il ne va pas s'amuser pour remettre en état une ruine pareille ! Dans le quartier, on l'appelle la maison hantée.

– Non, elle n'est pas hantée, a dit Lou. Il n'y a pas de fantômes, il n'y a que des vampires.

Le garçon s'est mis à rire :

– T'es marrant, toi ! Comment tu t'appelles ? Moi, je m'appelle Antoine.

Lou était tout content qu'on s'intéresse à lui. Il a répondu :

– Moi, c'est Lou. Dis, tu vas à l'école ?

– D'où tu sors, toi ! C'est les vacances depuis cinq jours !

Lou était déçu :

– Ah… Alors, tu n'as pas de copains ?

– Bien sûr que si ! a dit Antoine. On habite tous le quartier. T'as qu'à venir avec nous ! C'est pas drôle de rester tout seul !

Lou n'en croyait pas ses oreilles. Antoine a regardé sa montre et il s'est exclamé :

– Oh là là ! C'est bientôt midi ! Ma mère m'attend. Je reviendrai cet après-midi. Tu verras tous mes copains. À tout à l'heure !

Et il est parti en courant.

3
Une journée au parc

Lou a refermé la grille et il est monté dans la chambre de ses parents. Ils dormaient toujours.

Puis, il est redescendu dans le jardin. Il avait besoin de réfléchir. Allait-il dire à Antoine qu'il était un vampire ? Lou avait peur que son nouvel ami ne le croie pas... ou bien qu'il se sauve à toutes jambes !

Soudain, la cloche de la grille a tinté et Lou a bondi vers Antoine. Il était prêt à le suivre n'importe où.

Ils sont allés au parc. Là-bas, Lou a rencontré plein d'autres enfants. Avec eux, il a chahuté dans les bacs à sable, il a grimpé aux arbres, il a poursuivi les filles en hurlant comme un sauvage...

La journée a passé à toute vitesse. Il était déjà 8 heures du soir quand Lou est rentré chez lui. Il s'est glissé dans son lit sans faire de bruit, mais deux heures plus tard sa mère est venue le réveiller. Il a passé toute la nuit debout en compagnie de ses parents.

Le lendemain matin, Lou a couru rejoindre Antoine et les autres enfants.

Cette vie-là a duré trois semaines. Lou ne dormait presque plus. Une nuit, madame Dragoulu s'est inquiétée :

– Tu dois être malade, Lou ! J'ai de plus en plus de mal à te réveiller ! Je vais appeler le docteur.

Le docteur Globul était le médecin de famille des Dragoulu. Quand il est arrivé, Lou dormait encore. Madame Dragoulu a dit :

– J'espère que ce n'est pas grave, docteur ! Il a une drôle de mine. Il a les joues toutes rouges ! C'est bizarre !

Le docteur Globul a examiné Lou de la tête aux pieds. Il a déclaré que le petit vampire était très fatigué parce qu'il était en train de grandir. Lou ne l'a pas contredit... Mais il a dû avaler toutes sortes de médicaments. Du sirop d'hémoglobine, pouah ! Des gouttes de sérum sanguin, hips ! Des cachets à la viande rouge, beurk !

Le docteur Globul a encore ordonné à Lou de rester au lit pendant une semaine. Quelle aubaine ! Pendant une semaine, il a pu dormir la nuit ! Et, le jour venu, il quittait son lit sans que ses parents le sachent...

4
Le secret

Un matin, Lou dormait profondément quand, soudain, il s'est réveillé en sursaut : quelqu'un venait de crier dans le couloir.

C'était Antoine, qui sortait à reculons de la chambre de monsieur et madame Dragoulu. Antoine avait les yeux fixés sur les parents de

Lou, endormis dans leurs cercueils. Il a bredouillé, tout tremblant :

– Qu'est... qu'est-ce que c'est que ça ?

– C'est mon père et ma mère. Ils dorment.

Antoine regardait Lou d'un air inquiet.

– Dans des cercueils ! Et à midi !

Lou commençait à avoir drôlement chaud. Comment convaincre Antoine que tout était normal ? Il a dit :

– Viens dans ma chambre, je vais t'expliquer.

Une fois dans la chambre, Antoine a inspecté chaque recoin, et il a demandé sur un ton ironique :

– Tiens, tu ne dors pas dans un cercueil, toi ?

Lou était plutôt mal à l'aise :

– Tu sais, mes parents sont un peu originaux. Ils trouvent ça plus marrant... Mais moi, je n'ai jamais voulu dormir dans un cercueil ! Je dors dans un lit !

À ce moment-là, Frou-Frou et Zig-Zag, les deux chauves-souris, ont surgi du placard dans un grincement sinistre. Antoine ne trouvait pas ça drôle du tout :

– Écoute, Lou ! Si tu veux qu'on reste copains, arrête de me raconter des histoires ! Explique-moi ce qui se passe dans cette maison.

Lou a pris son courage à deux mains, et il a avoué à Antoine que ses parents et lui étaient des vampires...

– C'est super génial ! a dit Antoine. Moi, j'aimerais bien être un vampire !

Lou a haussé les épaules :

– Tu sais, ce n'est pas facile d'être un vampire : on est toujours seul, on ne va pas à l'école, on ne mange pas de glaces ni de sucettes piquantes !

Antoine s'est calmé :

– Je te comprends. Tu peux compter sur moi pour t'aider si tu en as besoin. Et ne t'inquiète pas, je sais garder un secret !

5
Panique à la maison

À partir de ce jour, Lou et Antoine sont devenus inséparables. Ils passaient leur temps à jouer au football avec d'autres garçons du quartier.

Bien sûr, Lou se sentait un peu fatigué, mais il adorait sa nouvelle vie. Malheureusement, une nuit, sa mère est entrée dans sa chambre. Elle a ramassé le pantalon de Lou qui était en boule au pied du lit. Une quantité de bricoles est tombée des poches : une gomme, trois billes, une demi-sucette...

Madame Dragoulu est restée immobile.

– Mais qu'est-ce que c'est que ce bazar ? Où as-tu trouvé toutes ces choses ?

Lou a bondi hors de son lit, et il s'est réfugié dans les cabinets.

Madame Dragoulu a appelé son mari :

– Hector, viens vite ! Notre fils devient fou !

Monsieur Dragoulu est arrivé en grognant. Sa femme lui a dit ce qui se passait, et il a tambouriné à la porte :

– Lou, sors de là et explique-toi !

– Non !

– Comment ça, non ?

Le père et la mère de Lou étaient stupéfaits : jamais leur fils ne leur avait résisté avec tant de force. Madame Dragoulu a pris une voix toute douce :

– Loulou, dis-nous ce qui se passe. Sors donc de cet endroit, nous n'allons pas te manger !

Mais Lou avait pris sa décision : il ne sortirait pas des cabinets, et rien ne le ferait changer d'avis.

Une heure plus tard, Lou a reconnu la voix du docteur Globul :

– Tes parents sont descendus dans le salon. Tu peux tout me dire. N'aie pas peur !

Lou était rassuré. Il a expliqué au médecin qu'il préférait les cornflakes au sang caillé. Puis il a parlé d'Antoine, son nouvel ami. Il a raconté qu'il passait ses journées à jouer au football...

Le docteur Globul est resté sans voix. Il a bredouillé :

– Euh… Je vais voir tes parents. Ne bouge pas.

Il est descendu et Lou l'a entendu chuchoter. Soudain, un cri strident, suivi d'un grand « boum », a fait sursauter Lou : c'était sa mère ! Elle avait dû s'évanouir !

Le médecin a élevé la voix :

– Hector, voyons ! Aidez donc votre femme à se relever !

Et de nouveau tous trois se sont mis à chuchoter. Au bout d'un quart d'heure, le docteur Globul est remonté :

– J'ai parlé à tes parents, Lou. Ils ont eu un drôle de choc ! Mais ils ont promis de ne pas te punir si tu ne recommences pas.

Alors, Lou a craqué :

– J'en ai assez d'être un vampire ! Je veux vivre comme mon copain Antoine. Et je ne sortirai pas d'ici, na !

Le médecin est revenu auprès des parents :

– Il vaut mieux attendre que votre fils se calme. Ne vous inquiétez pas, il sortira quand il en aura assez !

6
Le grand changement

Lou a passé les six nuits suivantes dans les cabinets. Il en sortait en cachette chaque matin, pendant que ses parents dormaient. Il passait un court moment en compagnie d'Antoine, puis il revenait avec des provisions de cornflakes.

Plus le temps passait, plus les parents de Lou s'affolaient. Ils n'avaient pas revu leur fils depuis presque une semaine... Ils ont rappelé le docteur Globul.

Cette fois-ci, un vampirologue l'accompagnait. C'était un grand spécialiste qui soignait les idées noires des vampires. Il a tout de suite dit aux parents de Lou :

– Je ne peux pas guérir votre fils... Il aurait fallu que je m'occupe de lui beaucoup plus tôt, quand il était encore bébé.

Il y a eu un grand silence. Le vampirologue a ajouté :

– Je ne vois qu'une solution : il faut que toute la famille change de vie. Croyez-moi, de nos jours, ça ne se fait presque plus de vivre comme des vampires !

Monsieur et madame Dragoulu étaient effondrés. Le grand spécialiste leur a donné une longue liste de médicaments. Il leur a expliqué qu'avec ces cachets, en quelques semaines ils seraient des êtres humains normaux... En entendant ces paroles, Lou a sauté de joie et il est sorti des cabinets.

Les premiers temps ont été difficiles. Monsieur Dragoulu était déboussolé : il refusait d'avaler ses cachets s'ils n'étaient pas arrosés de ketchup.

Finalement, les médicaments ont produit leur effet. Et puis, sur les conseils de son fils, monsieur Dragoulu s'est laissé pousser la moustache. Ainsi, aujourd'hui on ne voit plus ses dents pointues.

Madame Dragoulu a nettoyé la maison de la cave au grenier. Elle a fait déménager Frou-Frou et Zig-Zag. Les deux amies de Lou vivent au grenier, un endroit qui leur convient très bien. La maison de la famille Dragoulu est la plus jolie du quartier à présent. La mère de Lou passe ses journées dans son jardin ! Bien sûr, elle porte des lunettes noires : le soleil l'éblouit encore !

Le père de Lou s'est mis à la cuisine. Un soir, il a invité les parents d'Antoine et il leur a fait sa spécialité : le faisan au ketchup... La viande était encore un peu saignante, mais ça n'a pas empêché les parents d'Antoine et ceux de Lou de devenir de très bons amis.

Quant à Lou, il est allé à l'école pour la première fois il y a huit jours à peine. C'est moins
amusant qu'il ne l'imaginait ! Heureusement,
il est dans la classe d'Antoine !

J'AIME LIRE

Les premiers romans à dévorer tout seul

 Se faire peur et frissonner de plaisir **Rire et sourire avec**

des personnages insolites **Réfléchir et comprendre la vie de**

tous les jours **Se lancer dans des aventures pleines de**

rebondissements **Rêver et voyager dans des univers fabuleux**

Le drôle de magazine
qui donne le goût de lire

- un roman inédit illustré
- des jeux pour s'amuser et être créatif
- la célèbre BD de Tom-Tom et Nana et bien d'autres surprises !

Disponible tous les mois chez votre marchand de journaux ou par abonnement.

Princesse Zélina

Plonge-toi dans les aventures de Zélina,
la princesse espiègle du royaume de Noordévie.

Dévore des romans pleins de rebondissements et découvre l'univers passionnant de l'intrépide princesse.

Un journal intime à partager avec la princesse Zélina. À lire et à compléter.

Retrouve le journal intime de Zélina dans le magazine *Astrapi*.

Tous les 15 jours chez ton marchand de journaux ou par abonnement.

Résous toi-même les énigmes et suis les héros dans des aventures palpitantes et mystérieuses.

Rébus, devinettes, charades et messages codés t'aideront à trouver les solutions des énigmes et te permettront d'avancer dans l'histoire.

Achevé d'imprimer en mai 2006 par Oberthur Graphique
35000 RENNES – N° Impression : 7118
Imprimé en France